MARIAN FALSKI

ELEMENTARZ

Ilustrował

JANUSZ GRABIAŃSKI

WSiP

Wiersze
Juliana Tuwima
na str. 114, 122, 133, 136, 147, 153, 155, 157, 158
Aleksandra Fredry
na str. 148
Marii Konopnickiej
na str. 123
Antoniego Słonimskiego
na str. 159

Pismo kaligraficzne
według wskazówek M. Falskiego wykonał
Wacław Rafalski

Redaktor
Krystyna Kowaliszyn

Redaktor techniczny
Zygmunt Szałek

ISBN 978-83-02-02243-2

Wydawnictwa Szkolne i Pedagogiczne spółka z ograniczoną odpowiedzialnością
00-807 Warszawa, Al. Jerozolimskie 96
Tel.: 22 576 25 00
Infolinia: 801 220 555
www.wsip.pl
Wydanie trzydzieste (2015)
Ark. druk. 13,33
Druk: Orthdruk sp. z o.o., Białystok

4

9

As
A-s
a-A • s-S
A-s
As

$\mathcal{A}s$
$\mathcal{A} - s$
$a - \mathcal{A} • s - \int$
$\mathcal{A} - s$
$\mathcal{A}s$

As • $\mathcal{A}s$

As	**a**uto	**s**anki	**s**owa

Ala
A-l-a
l-L
A-l-a
Ala

Ala · Ala

Ala
A – l – a
l – L
A – l – a
Ala

las	lalka	lampa	lustro

As · *As*

las · *las*

Ala · *Ala*

lala · *lala*

As	Ala	lala	las
As	*Ala*	*lala*	*las*

13

Ala i As. · *Ala i As.*

igły	indyk	indyczka	iskry

i-I

i – J

14

Lala Ali. *Lala Ali.*

As Ali. *As Ali.*   Las i lis. *Las i lis.*

As-Asa   lis-lisa   Ala-Ali
As – Asa   *lis – lisa*   *Ala – Ali*

15

osy
o-s-y
o-O • y-Y
o-s-y
osy

As i osy. · As i osy.

osy
o – s – y
o – O • y – Y
o – s – y
osy

ogórek   **o**kulary   lis**y**   sow**y**

Ala i Ola. Ala i Ola.

Ala i osy.

Ola i As Ali.

---

las-lasy	lis-lisy	osa-osy
las-lasy	lis-lisy	osa-osy

17

kot
k-o-t
k-K • t-T
k-o-t
kot

kot · *kot*

kot
k – o – t
k-K • t-T
k – o – t
kot

kogut **k**ura **t**eka **t**rąbka

Lalka Ali – Lola.

Lalka Oli – Tola.

Lola i Tola.

Kotki Oli.

lalka-lalki

lalka – lalki

koty-kotki

koty – kotki

Kto to? To Ala i Ola.
Ala stoi i Ola stoi.
A to lalki Ali i Oli.
Lola stoi i Tola stoi.

A oto As Ali i osa.
As stoi. A osa lata.
Ta osa lata i lata.
Taka to ta osa.

---

to-kto   lata-lot   stoi-stali

to – kto   lata – lot   stoi-stali

ule
u-l-e
u-U • e-E
u-l-e
ule

ule • *ule*

ule
u – l – e
u-U • e-E
u – l – e
ule

ul   **u**lica   **e**kran   **e**kierka

Kto to? To Alek i Olek.

A tu ule, i tu ule, i tu ul.

– Alku, ile uli tu stoi?

– Tu stoi $2 + 2 + 1 = 5$ uli.

Tu lata 1 osa, tu 3 osy, a tu 5 os.

– Olku, to ile os tu lata?

Ala-Alek Ola-Olek Tola-Tolek

Ala – Alek *Ola – Olek* *Tola – Tolek*

Kot i kotek. Lis i lisek. List i listek.

Tu stoi Ala.
Tu stoi Ola.
I Alek, i Olek.
Ile tu lalek!
Ile kulek!
A ile tu aut!

las-lasek   lis-lisek   list-listek

las – lasek   lis – lisek   list – listek

most
m-o-s-t
m-M
m-o-s-t
most

most
m-o-s-t
m-M
m-o-s-t
most

most · *most*

mak   **m**otyl   **m**iska   **m**łotek

To most. Tu stoi Ala i As Ali.
I mama Ali tu stoi. I tato Ali.
– Mamo, tato! Tam lata samolot.

most-mostek

most – mostek

samo-samolot

samo – samolot

To Ola i mama Oli, i tato.

– Mamo, tato! Mamo, tato!

Mama ma listy! I tato ma listy!

Ale i Ola ma tu list.

ma-mam-mamy   sam-same-sami

ma-mam-mamy   sam-same-sami

To Olek i mama Olka.
– Mamo, mam tu kulki.
Mam tu tyle kulek!
– Tyle, Olku, to ile?

To Alek i tato Alka.
– Tato, tato, tato!
To teka taty. I listy.
Tato ma tu 2 listy.

---

kula-kulka   tyle-tylko   teka-teki
kula-kulka   tyle-tylko   teka-teki

To kotka i kotek Oli.
Kotek malutki i milutki.
I miska kotka tu stoi.
Kotek ma tam mleko.

A tu stoi lalka.
I tam stoi lalka.
Ale to ta sama lalka.
To lalka Ali – Lola.

---

malutki-malutka

malutki - malutka

milutki-milutka

milutki-milutka

– Alu, ile mam tu soli?
A ile mam tu maku?
Soli ma mama 3 kilo.
A maku tylko 1 kilo.

Lalka Lola ma 3 lata. A Tola 4 lata.
Ala ma tyle lat, ile ma Lola i Tola.
– To ile lat ma Ala?
– Ala ma 3 + 4 lata = 7 lat.

---

mak-maki   misa-miska   lato-latem
mak-maki   misa-miska   lato-latem

ulica
u-l-i-c-a
c-C
u-l-i-c-a
ulica

ulica · *ulica*

ulica
u-l-i-c-a
c – C
u-l-i-c-a
ulica

cebula	**c**ytryna	**c**yrkle	**c**egły

To ulica. Kto tu stoi?
Tu stoi Cela i Lucek.
Ile tu aut? A tam ile?
A oto i motocykl taty.

Tu stoi auto taty Olka.
Tylko to auto tu stoi.
A oto sam tato. I Olek.
Co tam tato tak stuka?

Lucek-Lucka
Lucek – Lucka

moto-motocykl
moto – motocykl

Co tu ma Ala?
I co ma tu Cela?
Ala ma tu klocki.
I Cela tu ma klocki.

A co tam ma Lucek?
Lucek ma samolocik.
To malutki samolocik.
Ale u Lucka i taki lata.

---

klocek-klocki

klocek – klocki

samolot-samolocik

samolot-samolocik

To las. Co tam stuka?
– Stuku-stuku.

A co tam tak kuka?
– Kuku-kuku-kuku.

Co ma Alek? To kulka.
Ale kulka, co ma kolce.
Taka kulka kole. Co to?

kole-kolec-kolce
kole-kolec-kolce

koc-koce-kocyk
koc-koce-kocyk

dom
d-o-m
d-D
d-o-m
dom

dom · *dom*

| dym | dąb | deski | droga |

dom
d – o – m
d – D
d – o – m
dom

34

To dom.   To domy.   To dymy.

A tam daleko co tak dymi?

---

dom-domy-domek   dym-dymy-dymek

dom-domy-domek   dym-dymy-dymek

To Cela. Co ma Cela?
Cela ma malutki domek.
To domek dla lalek Celi.
Domek dla lalek od taty.

A oto i lalki Celi.
Ta lalka ma loki.
A tamta ma kok.
Taka moda u lalek.

moda-model   da-dam-damy
moda - model   da - dam - damy

To sad. Kto tu stoi?

To my – Cela i Lucek.

A co my tu mamy?

I co komu damy?

To od Celi dla Alka.

To od Lucka dla Oli.

A to tylko dla mamy.

---

dodam-dodamy

dodam – dodamy

oddam-oddamy

oddam – oddamy

kolej
k-o-l-e-j
j-J
k-o-l-e-j
kolej

kolej · *kolej*

jajko	jagody	jabłka	jeż

kolej
k-o-l-e-j
j - J
k-o-l-e-j
kolej

Co to? To jest stacja.
To stacja tej kolei.
Tam stoi tato Lucka.
I sam Lucek tam stoi.
Kim jest tato?

To jest stolik Lucka.
Lucek ma tam klej.
Co tym klejem klei?

---

kolej-kolejka
kolej – kolejka

klej-klei-klejem
klej – klei – klejem

39

To jest klasa Ali i Oli. Tu mamy
lekcje. Jest lekcja matematyki.
a jest 4, y jest 5. To ile jest $a + y$?
u jest 7, e jest 4. To ile jest $u - e$?
Alu, dodaj 4 kulki i 5 kulek. Ile to?

---

lekcja-lekcje

lekcja – lekcje

dodaj-odejmij

dodaj – odejmij

To Cela i jej lalki.
– Oj, mamo, jak leje!
Oj, moje lalki i kotki.
Do domu! Do domu!

Jajko smakuje Oli.
Ale jak Ola je jajko?
– Oj, Olu! Oj, Olu!
Kto tak je jak ty!

jem-jemy   leje-dolej   jajko-jajka
jem-jemy   leje-dolej   jajko-jajka

jagody
j-a-g-o-d-y
g-G
j-a-g-o-d-y
jagody

To jagody. To jagody.

jagody
j-a-g-o-d-y
g – g
j-a-g-o-d-y
jagody

gumka	guziki	grabie	garnek

Mama gotuje mleko.

Dla kogo? – Dla Agatki.

Agatka je same jagody.

Mama doleje jej mleka.

– Mamo, a co dla kotka?

Tu stoi jego miska.

– I jemu damy mleka.

– Kici, kotku, do mleka.

jagoda-jagody

jagoda – jagody

kogo-jego-tego

kogo – jego – tego

To jest Olek, a to Gutek.
Gutek to jego kolega.
Olek ma tu kogutka.
A od kogo? – Od Gutka.

Tam dalej jest las.
Ale tam jest i lis.
Oj, kogutku, dalej
od lisa. Dalej,
kogutku, od lasu!

kolega-od kolegi

kolega – od kolegi

kogut-kogutek

kogut – kogutek

gęsi	gąski
g-ę-s-i	g-ą-s-k-i
ę-Ę	ą-Ą
g-ę-s-i	g-ą-s-k-i
gęsi	gąski

Gęsi i gąski.

węże	wąż

gęsi	gąski
g-ę-s-i	g-ą-s-k-i
ę – Ę	ą – Ą
g-ę-s-i	g-ą-s-k-i
gęsi	gąski

45

Idą gęsi i gąski. I gęgają.
Idą od lasu do domu.
A tu gąska stoi sama.
Co jej jest? Tak kuleje!

– Dokąd to tędy, Lucku?
– Ja idę do mego domu.
Ale dokąd ty, Gutku, tędy?
– Ja tędy jadę do kolegi.

gąska-gąski

gąska – gąski

gęga-gęgają

gęga – gęgają

Auta jadą ulicą. Jak jadą, to ja stoję.

A oto auta stają. Jak stają, to ja idę.

Tędy idą i jadą do kolei.

I stąd idą i jadą do lasu.

Do kolei tylko 1 km.

A do lasu mamy 3 km.

---

tędy-tamtędy

tędy – tamtędy

stąd-stamtąd

stąd – stamtąd

47

noc
n-o-c
n-N
n-o-c
noc

noc
n-o-c
n-N
n-o-c
noc

Jest noc. · *Jest noc.*

narty	**n**ożyk	**n**uty	**n**ożyczki

Nocą lecą.　Jadą nocą.　Idą nocą.

To Cela i Lucek, i mama.
Tato jest daleko od domu.
Smutno jest im samym.
Nagle – stuk-stuk – do okna.
– Kto tam nocą tak stuka?
– To on! To on! To tato!

---

noc-nocą　　　on-ona　　　oni-one

noc-nocą　　*on-ona*　　*oni-one*

49

To jest malutka Anulka.
Mama myje ją na noc.
Ale Anulka jest senna.
Mama utuli ją do snu.
– Luli-luli, moja malutka.

Dla kogo taki domek?
Ani tu okna. Ani komina.
Ani dymu nad kominem.
Tu nocuje malutki Amik.
To Amik Olka. Jaki milutki!

---

sen-senny   okno-oknem   komin-kominy

sen-senny   okno-oknem   komin-kominy

pole
p-o-l-e
p-P
p-o-l-e
pole

pole
p-o-l-e
p-P
p-o-l-e
pole

Na polu. · *Na polu.*

pająk	**p**apuga	**p**iłka	**p**iła

51

Jak pusto jest na polu.

Ani tu snopka, ani kopki.

Tylko ptaki lecą nad polem.

Te ptaki lecą na noc do lasu.

I to ptaki, ale inne ptaki.

Te ptaki są u nas latem.

Potem od nas odlatują.

A po co i dokąd odlatują?

---

snop-snopek   kopa-kopka   ptak-ptaki

snop-snopek   kopa-kopka   ptak – ptaki

Na tym placu jest kiosk.
Tu stoi Ala. I Janek tu stoi.
Kupili pisemko i oglądają.
To Ala ogląda, to Janek.
– Alu, co to jest? – pyta Janek.
– Tu kot, tu ul, tu kule.

 ek   J ki    je.

Ala   3  .

Jas lata u.

---

plac-placyk   kupi-kupuje   pyta-spytaj

plac - placyk   kupi-kupuje   pyta-spytaj

Na tym placu jest kino.

Ala i mama idą do kina.

Nad kinem jest napis:

KINO POLONIA.

– Mamo, jak tu jasno!

Ile lamp tam palą.

One idą do kasy.

Ali tak pilno do kina.

A tam stoi kolejka.

To i one tam staną.

---

pismo-napis   pali-palą   pilno-pilny

pismo-napis   pali - palą   pilno-pilny

park
p-a-r-k
r-R
p-a-r-k
park

To park. · *To park.*

park
p-a-r-k
r-R
p-a-r-k
park

ryba	**r**ak	**r**ower	**r**adio

Ala i Janek idą aleją po parku.

Jest listopad. Jaka to pora roku?

Listki opadają. Od rana pada.

Kapu-kap – kropla po kropli.

Jest mokro, a oni idą tą aleją.

Idą i mokną. Oj, dostaną kataru.

A po co tam idą? Co tam mają?

park-po parku   rano-ranek   katar-kataru

park-po parku   rano-ranek   katar-kataru

Janek i Ala mają katar.

Mama im daje krople do nosa.

Da im gorącego mleka i syropu.

A po co im daje termometr?

– Mamo, smutno nam samym.

Ani do parku. Ani na ulicę.

Ani na lekcje. Ani do kolegi.

Ale mają kredki i klocki. Rysują. Malują.

Oglądają pisemko. I radio gra im od rana.

A im jest nudno. – Oj, to tylko grymasy!

---

kropla-kropelka   termos-termometr

kropla - kropelka   termos - termometr

Cela i Lucek idą do apteki.
Oni idą po krople dla mamy.
Mają receptę na te krople.
To jest recepta od doktora.
Dostaną krople na receptę.

Jest na rynku taki sklep.
Tam są ptaki. Są kanarki.
Są papugi. Są i inne ptaki.
A co Lucek i Cela kupują?
Tylko proso dla kanarka.

recepta-na receptę   kanarek-kanarki
recepta-na receptę   kanarek-kanarki

Konkurs na rysunki

Ola Bień
Olek Gajda
Cela Małecka
Ala Król
Agatka Bukowska
Witek Janowski
Gutek Bielak
Kasia Lis
Lucek Kotowski

A to nagroda.  Komu ją damy?

---

konkurs-na konkurs   rysuję-narysuj

konkurs - na konkurs   rysuję-narysuj

wyprawa
w-y-p-r-a-w-a
w-W
w-y-p-r-a-w-a
wyprawa

wyprawa
w-y-p-r-a-w-a
w – W
w-y-p-r-a-w-a
wyprawa

Daleka wyprawa.
Daleka wyprawa.

waga	**wazon**	**wozy**	**wanna**

Ala i Janek jadą do Agatki.

Mają do Agatki daleką drogę.

Jadą do Agatki tramwajem.

Tramwaj staje tam – i wraca.

Oni idą dalej kilka minut.

A oto jest i domek Agatki.

To ten dom, co ma ganek.

Na ganku Agatka i jej Morus.

– Alu, Janku! Witamy was!

Nawet i Morus merda ogonem.

---

wracaj-wracajmy   wy-wam-do was

wracaj – wracajmy   *wy-wam-do was*

To my – Morus i Agatka.
Pracujemy we dwoje.
Ja mojej Agatce pomagam.

Agatka karmi kury i gąski.
Ja jej kur i gąsek doglądam.

Agatka myje swoją miskę.
I ja myję moją, jak mogę.

Tylko w nocy sam jestem.
Agatka w domu nocuje.
A ja jej domu pilnuję.

---

dwaj-dwoje   nocą-w nocy   ogląda-dogląda

dwaj-dwoje   nocą-w nocy   ogląda-dogląda

– Mee-mee! Kto to? To owca.
Janek ją karmi. Jaka ona lękliwa!
A co stoi na lewo? – Kwiku-kwiku!
A co na prawo? – Kwa-kwa-kwa!

Co to? Tu Morus goni koguta.
Ratuj, Janku! Ratuj kogutka.
Morus go dogoni. Morus go udusi.
Ale Morus tylko tak udaje.
A mądry kogut myk na ganek.
Myk na ganek do Agatki.

---

owca-owce   lewo-w lewo   ganek-na ganku
owca-owce   lewo-w lewo   ganek-na ganku 63

Sowa i sówka.

sówka
s-ó-w-k-a
ó-Ó
s-ó-w-k-a
sówka

sówka
s-ó-w-k-a
ó – Ó
s-ó-w-k-a
sówka

sówka	mrówki	makówka	lodówka

Od domu Agatki jest prosta droga do lasu.

Do tego lasu jest daleko. To ogromny, stary las.

Tam jest mnóstwo ptaków: i wilgi, i kruki, i sowy.

W nocy sowy tam latają. Sowom jest widno w nocy.

Tam są sarny i lisy. Tam lisy mają swoje jamy.

Na skraju tego lasu rosną gęsto jagody i maliny.

---

1 sowa-5 sów   1 ptak-5 ptaków   jagody-jagód

1 sowa-5 sów   1 ptak-5 ptaków   jagody-jagód

koza
k-o-z-a
z-Z
k-o-z-a
koza

Koza i kózka.

Koza i kózka.

koza
k-o-z-a
z – Z
k-o-z-a
koza

zegar	**z**ając	**z**apałki	**z**eszyt

Stoi tu koza u woza.
Zajada kapustę z woza.
A Morus goni zająca z pola.
I za co? Za listek kapusty?
Smutna jest dola zająca.

A tu kózka stoi u wózka.
Ta kózka jest malutka.
Tylko spogląda na kapustę.
Agatka da kózce mleka.
– Mee-mee – prosi kózka.

---

wozy-wóz   zjada-zajada   pole-z pola

wozy – wóz   *zjada–zajada*   *pole – z pola*

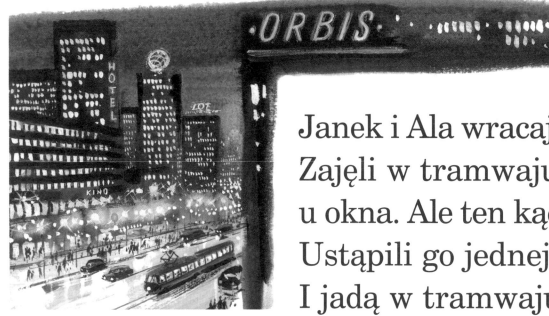

Janek i Ala wracają do domu.
Zajęli w tramwaju kącik
u okna. Ale ten kącik ustąpili.
Ustąpili go jednej pani.
I jadą w tramwaju stojąc.

Zapada prędko zmrok. Ale na ulicy jest widno.
Widno od lamp i neonów, które teraz zapalono.
Jankowi i Ali pora do domu. Oj, dawno pora!
Od Agatki z ogródka mają owoce dla mamy i taty.

---

mrok-zmrok   pali-zapala   kąt-z kąta

mrok-zmrok   pali- zapala   kąt-z kąta

Godło Polski.

Godło Polski.

godło
g-o-d-ł-o
ł-Ł
g-o-d-ł-o
godło

godło
g-o-d-ł-o
ł – Ł
g-o-d-ł-o
godło

łódka	łyżwy	łóżko	łyżki

69

To godło całej Polski.

To jest praca Olka.

Całą lekcję pracował.

To rysował, to malował.

Ale ładne jest to godło!

A to godło stolicy Polski.

Długo Cela je rysowała.

Długo potem malowała.

Ale i to godło jest ładne.

Tym godłem jest Syrena.

---

cały-całe ładny-ładne długo-długopis

cały-całe *ładny-ładne* *długo-długopis*

Ala nakryła swój mały stolik ładną serwetą. Postawiła na nim całą miskę jagód i słodki placek. Zaprosiła Agatkę, Celę i Lucka. Wygląda oknem. Oni wnet nadejdą.

Agatka, Cela i Lucek idą do Ali.
– Oj, jak zimno – mówi Lucek.
Zimno w ręce. Zimno w nogi.
Morus skomli. Zmarzły mu łapy.
Ledwo łazi z zimna za Agatką.

---

mały-mało   słodki-słodko   miły-miło

mały-mało   słodki-słodko   miły-miło

71

To zoo. Kto z was zna zoo?
Co w zoo oglądamy?

małpy-małpki   lew-lwy   orły-orlęta

małpy-małpki   *lew-lwy*   *orły-orlęta*

To są dwa tygrysy.
Jak ogromne koty.
A co za pazury mają!

A to rozmaite ptaki.
Są tu ptaki ogromne
i tak małe jak motylki.
I jak motylki kolorowe.

A tu lama stoi sama.
– Janku, prędko na lamę!
I jazda aleją po zoo.

pazury-pazurki

pazury – pazurki

tygrys-tygrysy

tygrys – tygrysy

globus
g-l-o-b-u-s
b-B
g-l-o-b-u-s
globus

globus
g-l-o-b-u-s
b – B
g-l-o-b-u-s
globus

To globus. · To globus.

baran	**b**alon	**b**uda	**b**rama

Co to jest globus? Globus
to model ogromnej kuli. Tej kuli,
którą mamy pod nogami.
Ale mało tę kulę znamy, bo taka
ogromna jest ta kula.

A co nam globus pokazuje?
Pokazuje nam lądy i oceany.
Pokazuje góry i doliny.
I krajów granice. I stolice.
Tyle poznajemy z globusu!

---

glob-globus   bo-albo   balon-balony

glob-globus   bo-albo   balon-balony

Rosną u nas dęby i buki.
Jodły i sosny. Lipy i graby.

A w kraju gorącym cyprysy,
palmy daktylowe i kokosowe.
I ogromne rosną baobaby.

Ale są i zimne kraje.
Tam tylko uboga trawka.
A lasy małe i skarlałe.

A jak są ubrani w kraju
gorącym i w zimnym?

---

dąb-dęby

baobab-baobaby

grab-graby

dąb - dęby

baobab-baobaby

grab-graby

Wody Bugu płyną i płyną. Nad nimi stoi stary buk.
Mówimy zwykle tak samo: i to Bug, i to buk.
Ale co innego jest Bug, a co innego jest buk.

Mówimy zwykle tak samo: stóg i stuk.
Ale co innego jest stóg, a co innego jest stuk.

Bug-na Bugu   buk-buki   stóg-stogi

Bug-na Bugu   *buk-buki*   *stóg-stogi*

To jodełka z lasu.
Rosła w dalekim gaiku.
Teraz stoi tu w kąciku.
Ale jaka ona jest inna!
Ile lampek na jodełce!
A ile na jodełce zabawek!
Ubrana jak na jaki bal.
Jak królewna z bajki.
Tak jodełkę Ala ustroiła.
Tyle zabawek zrobiła.

A ile podarków pod tą jodełką?! Dla kogo to?
Dla mamy i dla taty. I dla Ali, i dla Janka.

---

bal-na balu   bajka-bajki   bawi-zabawa

bal-na balu   bajka-bajki   bawi-zabawa

Ala dostała nowe botki.
I ładną bajkę z rysunkami.
To bajka o rybaku i rybce.

Janek dostał nowy berecik.
I obrazki z lotów w kosmos.
On woli te obrazki od bajek.

Mama dostała ładną torebkę.
Ala sama tę torebkę zrobiła.
Tato ma od Janka ładny kubek.

A to obrazek dla mamy i taty.
Ala malowała sama ten obrazek.
A Janek zrobił ładną ramkę.

---

buty-botki   ryba-rybka   obraz-obrazek

buty-botki   ryba-rybka   obraz-obrazek

telefon	halo
t-e-l-e-f-o-n	h-a-l-o
f-F	h-H
t-e-l-e-f-o-n	h-a-l-o
telefon	h-a-l-o

To telefon. Halo?

fotel	**h**uśtawka

telefon	halo
te-le-fon	h-a-l-o
f – F	h – H
te-le-fo-n	h-a-l-o
telefon	halo

– Halo? Kto mówi? – pyta Fela.

– To ja, Hela! – Bo i Hela ma telefon.

– Co jest zadane na jutro? – pyta Hela.

– Tylko po 3 wyrazy na *f* i na *h* – mówi Fela.

– To pewno pójdę z mamą do kina na nowy film.

Na półce stoją słoiki. Co tam mamy?
Tu kompoty. Tu borówki. Tu morele.
A tam stoją słoiki z konfiturami.

– Mamo, daj nam konfiturek – prosi Ala.

– Ale to są konfitury na całą zimę.

– To daj nam tylko odrobinę na próbę.

Tylko odrobinę teraz do herbaty!

konfitury-konfiturki   herbata-herbatka

konfitury-konfiturki   herbata-herbatka

81

Kto tu stoi koło okna Halinki?
To Stefek lepi tu bałwanka.
Ma nogi i tułów okrągły, i ręce.
Stefek nakłada mu garnek na głowę.
I cały bałwanek jest gotów.

Halinka jest w domu. Ma anginę.
Boli ją gardło. Boli ją głowa.
Mama w pracy. I tato w pracy.
Smutno tu jest jej samej.
Teraz spogląda na bałwanka
i zaraz jest Halince weselej.
Dobry kolega z tego Stefka!

Halina-Halinka   Stefan-Stefanek

Halina-Halinka   *Stefan-Stefanek*

Kto ja jestem? Kto pozna?
Całe lato fikałam, hasałam,
ale i zapasy na zimę robiłam.
I mam na zimę nowe futerko.
– Ha-ha! Co mi zrobi zima zła?

A kto pozna, kto ja jestem?
I ja mam na zimę nowe futerko.
A po co mi zapasy na zimę?
Są zające w polu i kury w kurniku.
To są moje zapasy na zimę.

A ja bez futerka i bez zapasów...
Ja zapadnę w sen na całą zimę.

---

fika-fikała   hasa-hasała   futro-futerko

fika-fikała   hasa-hasała   futro-futerko 83

Skąd róże zimą?

żaba	żółw	żelazko	żarówka

róże
r-ó-ż-e
ż-Ż
r-ó-ż-e
róże

róże
r-ó-ż-e
ż-Ż
r-ó-ż-e
róże

Latem mamy róże w ogródku.
Stamtąd te róże zrywamy.
Ale skąd mamy róże zimą?
I róże, i bzy, i żółte żonkile?
Są tak ładne jak latem.
Jak je całą zimę hodujemy?

A co Ala hoduje zimą?
Ma na stoliku słoik z wodą.
W nim stoją różne gałązki.
Na każdej gałązce są pąki.
Ala ma i akwarium w pokoju.
W nim hoduje małe złote rybki.

róża-różowy   żółty-pożółkły   różne-różni

róża-różowy   żółty-pożółkły   różne-różni 85

Kto ma narty,
kto ma sanki,
ten na górkę
pod sam las.

Potem z górki na pazurki.
Tylko każdy po kolei –
coraz niżej na sam dół.
Potem znowu coraz wyżej –
aż na górkę pod sam las.
I tak w koło, i tak w koło.
Dalej żywo! Dalej żwawo!
Jak to zdrowo! Jak wesoło!

żywy-żywo   żwawy-żwawo   dół-doły

żywy-żywo   żwawy-żwawo   dół-doły

Kto bez sanek,
kto bez nart,
żywo do nas.

Mamy duży zapas kul.
O, już lecą w różne strony.
Lecą w lewo. Lecą w prawo.
Jedna niżej. Druga wyżej.
Trafi w nogę. Trafi w głowę.
Może nawet trafi w nos.
Może nawet to zaboli.
Ale kto by na to zważał!
To zabawa. Taki los.

duży-duża-dużo
duży-duża-dużo

może-można-możemy
może-można-możemy

87

O, ile tu nas. Nawet Grażynka i Bożenka! Każdy ma łyżwy. Tu jadą parami. Tam każdy osobno. A tu zrobili koło. Jest silny mróz. A im aż gorąco od samego pędu. Ale co tam z Grażynką? Nagle bęc i leży jak długa.

– Co ci? Pomożemy ci... już, już!

– Nic, nic! Tylko łyżwa mi spadła.

Grażynka sama wstaje. Zaraz i łyżwę nałoży.

łyżwa-łyżwy   nakłada-nałóż   leży-leżę

łyżwa-łyżwy   *nakłada-nałóż*   *leży-leżę*

Mama kupiła futerko dla Hanki.
Mama rada, że to futerko kupiła.
Jest ładne i zgrabne, w sam raz!
Teraz Hanka ogląda to futerko.
To je nakłada, to zdejmuje, głową
kręci. Minki robi.

– Mamo moja, mamo droga!
Futerko jest ładne i zgrabne, ale
może by je mama skróciła.
– Po co, Hanko? Jest w sam raz!
– A, bo teraz taka jest moda.
Tak Bożenka mi mówiła.

że-żeby-ażeby

że - żeby - ażeby

Bożena-Bożenka

Bożena-Bożenka

się si-ę
Zosia Z-o-si-a
nie ni-e
niesie ni-e-si-e
mamusia m-a-m-u-si-a

Janek i Ala myją się na noc.

Oni już od dawna myją się sami.

A mała Zosia nie myje się sama.

Małą Zosię umyje na noc mamusia.

Już niesie dla niej mydło i gąbkę.

Zosia-Zosię • mamusia-mamusię • niesie-niesiemy

A kto to jest ta Zosia?
Zosia to siostra Janka i Ali.
Zosia ma niecałe 3 lata.
Mamusia myje Zosię na noc.
A Zosia prosi mamusię:
– Nie myj mnie, mamusiu.
Ja siama. Ja siama! Siama!
– Oj, ty Zosiu-samosiu –
żartuje z niej mamusia.

A co tu leży na stoliku?
Kto zgadnie? Tym się ząbki
myje ładnie. Ale Zosia niby
taka samosia, a sama ząbków
nie umyje. I prosi mamusię.
– Mamusiu, pomóż mi.

– To my, kotki,
Pusio i Musio.
A nas kto myje?
My same, łapkami.

---

siostra-siostry • dla niej-dla mnie • sama-samosia

biorę bi-o-r-ę
pięknie pi-ę-k-ni-e
sobie s-o-bi-e
pieni pi-e-n-i
bieli bi-e-l-i

Biorę mydło. Wodę gorącą biorę.
I pięknie sobie bieliznę piorę.
Pieni się, bieli mydlana piana.
I już bielizna pięknie uprana.
O, jaka teraz biała bielizna cała.

piana-pieni się • piękny-pięknie • biały-bielizna

Mama kąpie Zosię w wannie. Myje jej główkę mydłem.

Tak jej główkę mydli, że cała jest aż biała od piany.

A co robi Zosia? Zosia kąpie obie swoje lalki.

I polewa wodą swojego ulubionego gumowego kotka.

Zosia już w wannie nuci mu piosenkę na noc. A jaką?

      – Wlazł kotek na płotek i mruga.

      Piękna to piosenka, niedługa.

---

kąpie-kąpiel   •   piana-pianka   •   biały-białko

Marysia ma małego kogutka.
Jej kogutek ma piękne pióra
i ładnie pieje. Tylko bieda,
że on pieje ledwo dnieje.

Nie piej, kurku, nie piej.
Usypiam Marysię.
Krótka była nocka.
Nie wyspała mi się.

Piotrek kupił pióro sobie.
Ale biedę ma z tym piórem.
Bo mu pióro papier skrobie.

– Co ja zrobię, co ja zrobię?
Już ja piątki nie dostanę,
bo okropnie nabazgrane.

Nabazgrane nie jak piórem,
ale jak kura pazurem.

---

pióro-piórko • bieda-biedak • skrobie-skrobią • sobie-tobie

Janek stoi sam w oknie
i na księżyc spogląda.
Niedawno był nów księżyca.
Wyglądał wtedy jak rożek.
A teraz tak jak złota kula.
To jest pełnia księżyca.
Co jest z tym księżycem?
Ten sam, a coraz inny.

Na Księżycu byli kosmonauci.
Mówią, że tam są same skały,
że nic na Księżycu nie żyje.
Nie ma tam nawet trawki.
Jest to zupełna pustynia.
A dla nas z daleka taki ładny!

---

pełny-pełnia • pusty-pustynia • ładny-ładnie

wiatr wi-a-t-r
wieje wi-e-j-e
ciemna ci-e-m-n-a
gwiazdy g-wi-a-z-d-y
ciekawe ci-e-k-a-w-e

Tam za oknem wieje zimny wiatr.
Tam za oknem jest ciemna noc.
Ani jednej gwiazdy, ani księżyca.
A w pokoju jest widno i ciepło.
Oglądamy program telewizyjny.

gwiazda-gwiazdy • ciepło-ciepły

96

I w taką noc ciemną lecą samoloty. Wiozą wielu pasażerów. Wiozą także różne towary. W każdym samolocie są piloci. Oni nie boją się nocy. Palą wiele lamp w kabinie.

– Ale jak oni drogi nie zmylą? – pyta się Ala.

Jadą też nocą pociągi. Stają tylko na krótko na stacji. Jedni podróżni wysiadają. Inni wsiadają. I pociąg gna prędko dalej.

Jadą drogami auta i autobusy. Ale jadą ostrożnie, z uwagą. Bo łatwo jest nocą o wypadek.

wiozę-wiozą • ciemno-ciemny • powie-opowie

Józio J-ó-zi-o
Miecio Mi-e-ci-o
miele mi-e-l-e
mięso mi-ę-s-o
Mizia M-i-zi-a

Józio i Miecio pomagają mamie.
Józio miele mięso na obiad.
Miecio obiera na obiad ziemniaki.
A Kizia-Mizia nic nie pomaga.
Tylko – miau – prosi o mięsko.

miele-zmiele • ziemia-ziemniak • Kizia-Mizia

A jak Agatka pomaga mamie?
Karmi z mamą kurki w kurniku.
Sypie kurkom ziarno na ziemię.
Całą miarkę już wysypała.
Nic więcej kurki nie dostają.
Na próżno – ko-ko-ko – wołają.

Nawet mała Zosia pomaga
mamie, jak umie. Podlewa
kwiatki na oknie. Pamięta
o swoim kanarku. Zmienia
mu wodę. Daje mu siemię.
Karmi kotka. Jak na małą
Zosię tej roboty aż za wiele.

ziarno-ziarnko • miara-miarka • umie-umiem

igiełka i-gi-e-ł-k-a
takie t-a-ki-e
cienkie ci-e-n-ki-e
sukienka s-u-ki-e-n-k-a
ciastko ci-a-s-t-k-o

Zosia nawleka dla babci igiełkę.
Babci trudno nawlec cienką igiełkę.
A babcia ceruje sukienkę Zosi.
To kotek podarł tę sukienkę.
Pazurkiem ostrym jak igiełka.

---

igiełka-igielnik • suknia-sukienka • cienki-cienka

W cukierni

Ala z Jankiem są w cukierni. Ile tu ciastek! Ile cukierków! A ile tam rurek z kremem. Janek wybrał dla siebie ciast-ko z makiem. Było ono wy-borne. Zjadł to ciastko ze smakiem. Ala wybrała rurkę z kremem. I to ciastko było doskonałe. Tylko z kremem nie udało się Ali. Ledwo ugry-zła rurkę z jednej strony, a tu z drugiej strony krem wypadł.

Cały krem spadł na jej su-kienkę. Ala nawet prędko

krem z sukienki wytarła. Ale plamka została. Żal Ali było i sukienki, i kremu.

---

cukier-cukierek • mak-z makiem • druga-drugiej

Jaś i Staś bawią się w parku.
Można tu gonić się i grać w klasy.
Można w stawku karmić małe rybki.
Można się też huśtać na huśtawce.
A kto ma dość zabawy, siada na ławce.

Staś-Staśka • lećmy-lecimy • zgaśmy-zgasimy

Staś
S-t-a-ś
ś-Ś
grać
g-r-a-ć
ć-Ć
dość
d-o-ś-ć
ś-Ś • ć-Ć
huśtać
h-u-ś-t-a-ć
ś-Ś • ć-Ć
liść
l-i-ś-ć
ś-Ś • ć-Ć

Już Janek wstał i Ala wstała.
Zośka śpi. Co jej się stało?
Pewno coś się małej Zośce śni.
Musi jej się śnić coś wesołego.
Bo się Zośka we śnie śmieje.
Może jej się teraz wiosna śni?

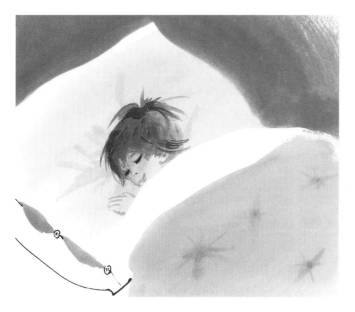

Pod okienkiem śpiącej Zośki
wróbelki wołają – ćwir-ćwir.
Dość już, mała Zośko, spać!
Pora ci już, Zośko, wstać!
Daj nam, Zośko, pić i jeść.
Jest tu nas wróbelków pięć.

śni się-we śnie　•　pięć-pięciu　•　nieść-nieście

Mroźna zima minęła. Zbliża się wiosna.
Słońce świeci coraz wyżej nad ziemią.
Z każdym dniem jest coraz cieplej.
Widno jest do późna. Noce są krótkie.
I nam jest już teraz raźniej i weselej.

mroźno-mrozik • późno-później • koń-konik

mroźna
m-r-o-ź-n-a
ź-Ź
słońce
s-ł-o-ń-c-e
ń-Ń
źle
ź-l-e
ź-Ź
słoń
s-ł-o-ń
ń-Ń
późno
p-ó-ź-n-o
ź-Ź

Do okienka małej Brońci już zagląda ranne słońce. Promień słońca z okna pada wprost na buzię Brońci. Jest już późno. Wstań już, Brońciu. Ale Brońcia śpi. Późno spać się położyła. Bo za długo się bawiła.

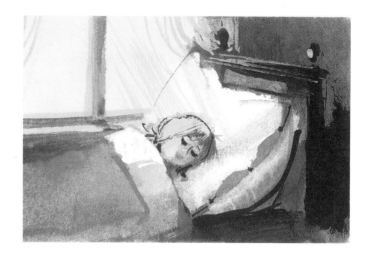

Kto to taki? – Pani woźna. Ojej, jaka mina groźna. Sień zamiotła i spogląda, kto to się na lekcje spóźnia. W kącie sieni Brońcia stoi. Tak się groźnej woźnej boi. Ale dobra pani woźna wcale nie jest taka groźna.

Bronia-Brońcia • gonimy-gońmy • wieziemy-wieźmy

szkoła sz-k-o-ł-a sz-Sz
uczy u-cz-y cz-Cz
nasza n-a-sz-a sz-Sz
czyta cz-y-t-a cz-Cz
deszcz d-e-sz-cz szcz-Szcz

To nasza szkoła. Tu się uczymy.

Jesteśmy dopiero w pierwszej klasie.

Ale uczymy się już czytać i pisać.

Uczymy się liczyć i śpiewać, i malować.

Uczymy się też wierszyków na pamięć.

szkoła-szkółka • uczyć-uczeń • wiersz-wierszyk

Mamy lekcję na **sz** i **cz**.
Pani pisze na tablicy, a my
zapisujemy do zeszytów:
Polska jest naszą ojczyzną.
Warszawa jest naszą stolicą.
A nasz hymn narodowy –
„Jeszcze Polska nie zginęła".
Wszyscy ten hymn znamy.

Radio uczy nas śpiewu.
– Halo, halo! Halo, halo!
Nadajemy lekcję śpiewu
dla uczniów pierwszej klasy:
    Płynie Wisła płynie
    po polskiej krainie.
    Zobaczyła Kraków,
    pewno go nie minie.

---

zeszyt-zeszycik • zobaczy-zobacz • umieszczę-zmieszczę

nim we dwoje. W szkole Janek i Ala wytrą buciki w sieni. Potem pójdą do szatni. W szatni są wieszaki. Tu powieszą swoje okrycia. Tu zostawią mokre buciki, a włożą czyste pantofle. Bo w szkole musi być czysto!

Od rana pada deszcz ze śniegiem. A Janek i Ala muszą iść do szkoły. Nie mogą czekać, aż deszcz ustanie. Ale oni się deszczu nic a nic nie boją. Oni mają ogromny parasol od deszczu. Zmieszczą się pod

deszcz-deszczyk • wieszam-wieszak • czysto-czyszczę

groch g-r-o-ch ch-Ch
okruchy o-k-r-u-ch-y ch-Ch
Stach S-t-a-ch ch-Ch
chleb ch-l-e-b ch-Ch
strach s-t-r-a-ch ch-Ch

Stach i Zochna karmią gołębie.
Sypią im groch i okruchy chleba.
Gołąbki zaraz sfruwają z dachu.
Wcale się Stacha i Zochny nie boją.
Chętnie te okruchy i groch zjadają.

Zocha-Zochna   •   chleb-chlebek

Mama w kuchni coś gotuje.

– Co tu tak pachnie? – pyta Stach.

– Poznaj, Stachu, po zapachu.

– Może kapusta? – mówi Stach.

– Och, to groch – woła Zochna.

– Mama grochówkę gotuje.

– Ach, Stachu – mówi Zochna – ja się boję. Ktoś tam w ogródku na zagonkach stoi.

– Nie bój się, Zochno – mówi na to Stach. – Tam stoi tylko na wróbelki strach.

– Oj, ten strach, ten strach, mój Stachu, nie wróbelkom, ale mnie narobił strachu.

---

kuchnia-kuchenka • pachnie-zapach • groch-grochówka

– Hu-hu – wiatr wiosenny w polu dmucha. Nagle mocniej dmuchnął. Zochnie chustkę z głowy zdmuchnął. Ale Stach to zuch, nie gapa. Zaraz chustkę Zochny złapał.

W dolinach bywają duże wichury.
Trudno wtedy ustać na nogach.
Większe są w górach wiatry halne.
Nieraz takie wiatry łamią całe lasy.
A najgorsze są na oceanach tajfuny.
Tajfuny groźne dla statków i lądów.

wicher-wichura • chustka-chusteczka • strach-straszy

Tu jest tor. Pociąg stoi na torze.
To dworzec. Na dworcu wisi zegar.
Zbliża się godzina ósma na zegarze.
– Odjazd! – wołają z megafonu.
– Wsiadajmy prędko! Ostatnia chwila.

dwór-na dworze • zegar-na zegarze

na torze
t-o-rz-e
rz-Rz

na murze
m-u-rz-e
rz-Rz

na zegarze
z-e-g-a-rz-e
rz-Rz

na górze
g-ó-rz-e
rz-Rz

dworzec
d-w-o-rz-e-c
rz-Rz

Pod lasem jest pagórek. Stach i Zochna mówią, że to góra. Stanęli na tej górze i grzeją się w słońcu. Nagle zza lasu wyszła chmura.

– Zobacz, Stachu, jak się chmurzy. Ja się boję burzy. – I na samą myśl o burzy uciekają, aż się kurzy.

Ala się ubiera. Zaraz Zosię ubierze i pójdą z mamą na dworzec kolejowy. Pojadą koleją na wieś do wujka i cioci. A Janek z tatą pojadą tam na rowerach.

– Wuj już orze – mówi Janek do taty. – Może mi pozwoli jechać na traktorze?

orka-orze • góra-na górze • chmura-chmurzy się

Rzeczka

Płynie, wije się rzeczka,
Jak błyszcząca wstążeczka.
Tu się srebrzy, tam ginie,
A tam znowu wypłynie.
Woda w rzeczce przejrzysta,
Zimna, bystra i czysta,

Biegnąc mruczy i szumi,
Ale kto ją zrozumie?
Tylko kamień i ryba
Znają mowę tę chyba,
Ale one, jak wiecie,
Znane milczki na świecie.

Julian Tuwim

Przez naszą wieś płynie mała rzeczka. Ta rzeczka wpada do dużej rzeki. A ta duża rzeka wpada do morza.

---

rzeka-rzeczka • przy-przed-przez • srebro-srebrzy się

To morze. Nasze morze Bałtyk. Jak się teraz burzy, jak szumi. Ogromne fale biją o brzegi. Chmurzy się i wicher dmie. Już za chwilę może być burza. A burza na morzu bywa groźna.

Na brzegu morza stoją rybacy. Wrócili z połowu przed burzą. Teraz tu czyszczą swoje sieci. Jeden kuter został na morzu. Zbliża się. Już go dobrze widać. I on ucieknie przed burzą.

burza-burzy się • chmura-chmurzy się • brzeg-wybrzeże

Morskie pogotowie ratunkowe

Na morskiej stacji ratunkowej dyżurni czuwają przy radiotelefonie cały dzień i całą noc. Na razie cisza. Nagle alarm. Rozlega się głos.

– Czy stacja ratunkowa SPA? Czy SPA? Tu kuter rybacki WŁAD wzywa pomocy. Czy słyszycie nas? Wyślijcie natychmiast pomoc. Nie możemy sterować. Popsuły się przyrządy. Jesteśmy w niebezpieczeństwie.

– Tu stacja SPA. Czy kuter WŁAD? Słyszymy was. Rozumiemy. Już wysyłamy wam na pomoc statek ratunkowy R3.

– Tu statek R3. Czy kuter WŁAD? Słyszymy już was, ale nie widzimy. Ciemna noc. Zapalcie rakietę.

Uważajcie, zbliżamy się. Rzucimy wam rzutkę.

Już są uratowani. Ale rzutka zraniła kogoś z załogi.

– Czy stacja SPA? Tu statek R3. Meldujemy: WŁAD uratowany. Kierujemy się na Gdynię. Mamy rannego. Zamówcie w Gdyni karetkę pogotowia.

---

kuter-przy kutrze • przyrząd-przyrządy • ster-przy sterze

Nasz dzwonek już dzwonił na pauzę.
Dzieci siedzą w stołówce i jedzą.
Jeden tylko Tadzio usiadł i nie je.
Zgubił swoje smaczne śniadanie.
Ale to nic. Koledzy się z nim podzielą.

jedzą-zjedz • droga-w drodze • kolega-koledzy

dzwon dz-w-o-n dz-Dz
jedzą j-e-dz-ą dz-Dz
dzban dz-b-a-n dz-Dz
siedzą si-e-dz-ą dz-Dz
koledzy k-o-l-e-dz-y dz-Dz

Widzicie tę drogę? To jest nasza droga do szkoły. Co dzień tą drogą idziemy i tą drogą wracamy.

Droga do naszej szkoły wysadzana jest drzewkami. To drzewka owocowe.

Dzieci same te drzewka sadziły. Ludzie teraz pytają, kto te drzewka zasadził. Każdy się dziwi, jak na tej drodze jest ładnie. Niedługo na wiosnę wszystkie te drzewka zakwitną.

---

dzień-dzionek • sadzi-zasadzi • idzie-zajdzie

W parku nad sadzawką

Edzio i Władzio, Jadzia i Magdzia idą do parku. Przy wejściu widzą napis: Nie śmiecić! Nie zrywać kwiatów! Nie deptać trawników!

– Pewno, że nikt nie będzie śmiecić – mówią dzieci i wchodzą do parku. W parku jest sadzawka. Po sadzawce pływają łabędzie. – Ojej – dziwi się Jadzia – jakie to dziwne gęsi. Jadzia nigdy jeszcze nie widziała łabędzi. Przygląda się im, jak lekko pływają po wodzie.

widzę-widzą • wchodzę-wchodzą • będzie-będziemy

W porcie stoi ogromny statek.
Dźwigi ładują na statek różne towary.
I ludzie wchodzą powoli na statek.
Syreny gwiżdżą. – Idźmy prędzej!
Statek już odpływa. – Do widzenia!

dźwigi
dź-w-i-g-i
dź-Dź
gwiżdże
g-w-i-ż-dż-e
dż-Dż
idźmy
i-dź-m-y
dź-Dź
wejdź
w-e-j-dź
dź-Dź
dżdżysto
dż-dż-y-s-t-o
dżdż-Dżdż

chodźcie-chodźmy • Jadzia-Jadźka

Na wycieczce

Zdziś jedzie jutro na szkolną wycieczkę. Aż skacze i gwiżdże z radości.

Mama kupiła dziś mąki i drożdży. I upiekła dla Zdzisia placek drożdżowy.

– Mamo! – obudź mnie wcześnie, bo nasz autobus odjeżdża o siódmej godzinie.

– Dobrze. Zamówię telefon. Zadzwonią do nas o szóstej. A do autobusu ciebie odprowadzę.

– Pamiętaj! Siedź spokojnie w autobusie. Nie kręć się i nie gwiżdż. I zabierz płaszczyk, bo może być dżdżysty dzień.

---

drożdże-drożdżowy　•　obudź-zbudź　•　dżdżysto-dżdżysty

Abecadło

Abecadło z pieca spadło,
O ziemię się hukło,
Rozsypało się po kątach,
Strasznie się potłukło:
I – zgubiło kropeczkę,
H – złamało kładeczkę,
B – zbiło sobie brzuszki,
A – zwichnęło nóżki,

O – jak balon pękło,
   aż się P przelękło,
T – daszek zgubiło,
L do U wskoczyło,
S – się wyprostowało,
R – prawą nogę złamało,
W – stanęło do góry dnem
   i udaje, że jest M.

Julian Tuwim

a	ą	b	c	ć	d	e	ę	f	g	h	i	j	k	l	ł	m	n	ń	o	ó
A	Ą	B	C	Ć	D	E	Ę	F	G	H	I	J	K	L	Ł	M	N	Ń	O	Ó

p	r	s	ś	t	u	w	y	z	ź	ż	sz	cz	ch	rz	dz	dź	dż
P	R	S	Ś	T	U	W	Y	Z	Ź	Ż	SZ	CZ	CH	RZ	DZ	DŹ	DŻ

Wiosna

Jeszcze śnieżek prószy,
jeszcze chłodny ranek,
a już w cichym lesie
zakwita sasanek.

A za nim przylaszczka
wychyla się z pączka
i mleczem się żółtym
złoci cała łączka.

I dłużej już dzionka,
i bliżej słoneczka...
A w polu się gwieździ
biała stokroteczka.

Maria Konopnicka

śnieg-śnieżek • łąka-łączka • stokrotka-stokroteczka

Roboty w polu

Przybiegł Antek na pole z obiadem dla taty. Tato od rana tu orze. Kasztanek ciągnie pług. Aż sapie, tak mu ciężko. A dalej na dużym polu orzą już bez koni. Tam terkocze traktor. Wszyscy się śpieszą, bo już czas siać owies i sadzić ziemniaki.

Słońce tu przyjemnie grzeje. Za pługami chodzą wrony i wybierają pędraki. Postraszyć którąś – nic się nie boi, nawet nie zakracze. Śmiało dalej wyjada swoje smakołyki. Nad polami świergoczą wesoło skowronki. Tak wysoko, że choć słychać je dobrze, ale wypatrzeć trudno.

Rad by Antek dłużej tu zostać, ale musi zaraz wracać do domu mamie pomóc i lekcje na jutro odrobić.

---

biegł-przebiegł • straszył-postraszył • kracze-zakracze

Orka

Można orać konikiem.
Ale jest lepiej i prędzej,
i lżej orać traktorem.

Siew

Można siać nawet ręką.
Ale jest lepiej i prędzej,
i lżej siać siewnikiem.

Żniwa

Można kosić zboże kosą.
Ale jest lepiej i prędzej,
i lżej żąć żniwiarką.

Młocka

Można młócić używając
kieratu. Ale jest lepiej
młócić z pomocą motoru.

---

traktor-traktorem • konik-konikiem • siewnik-siewnikiem

W ogródkach

W ogródkach znać wiosnę. Ślicznie jest tu wszędzie. Zieleni się młoda trawa. Zielenią się całe drzewa. Na drzewach bazie i pączki.

Kwitną kolorowe bratki i różne żółte kwiaty. Z trawy wyglądają stokrotki. Fruwają pierwsze motylki. Brzęczą pszczoły i trzmiele.

A ile ptaków teraz w ogródkach! Ten niesie słomkę, ten jakieś piórko na gniazdko. Ten ćwierka. Ten gwiżdże.

U Agatki już bociany siedzą na gnieździe. Przyleciały jaskółki i skowronki. A jak ślicznie jest teraz w parkach w każdym mieście. Ile tam kwiatów i zieleni!

---

kolor-kolorowe • motyle-motylki • leciały-przyleciały

W ogródku szkolnym

Dziś pierwszaki sieją na swoich grządkach kwiaty i warzywa. Na jednym zagonku sieją rezedę, nagietki, maciejkę. Sadzą bratki i stokrotki. Na drugim sieją rzodkiewkę, groch, fasolę.

Wszystko było dobrze, dopóki nie doszło do słonecznika. Długo nie było zgody, gdzie go posiać. Czy z kwiatami, bo ładnie kwitnie? Czy z warzywami, bo jest do jedzenia? Aż Olek wpadł na pomysł. – Posadzimy oddzielnie, pod płotem. Na to się wszyscy zgodzili.

I tak zrobili.

---

rzodkiew-rzodkiewka • szło-doszło • warzywa-warzywniczy

Dwa balkony

Tu widzimy dwa balkony.
Jeden czysto zamieciony.
Tu i kwiatki kwitną wkoło.
Jak tu ładnie, jak wesoło!

A ten drugi, wierzyć trudno,
żadnych kwiatów i tak brudno.
Pełno gratów, pełno śmieci.
Jakby to był skład rupieci.

Kwiatki Ali

Agatka ma dużo kwiatków: na łące, w polu, w ogródku i nawet w doniczkach na oknie.

Ala dostała od Agatki z jej ogródka śliczne kwiatki: fiołki, stokrotki i bratki.

Postawiła w pięknym wazoniku i ma wiosnę w swoim pokoiku.

---

ogród-ogródek • donica-doniczka • wazon-wazonik

Na podwórku Agatki

I na podwórku Agatki znać wiosnę. Tu biega źrebiątko. Tu stoi cielątko. A tam dalej bryka białe koźlątko. Leży tu świnka i czworo prosiątek. A oto i kura ze stadem kurcząt. Kura pod skrzydła chowa kurczątka. I kaczka tu wodzi stado kaczątek. Niech tylko Agatka – taś-taś – zawoła, zaraz biegną, aż padają na dziobki. Jest tu jeszcze i gęś, i pięć gąsiątek. Oj, nie zbliżajcie się tylko do gąsiąt. Stara gęś zaraz syczy jak ta żmija. Raz nawet Agatkę skubnęła za nogę.

źrebię-źrebiątko • cielę-cielątko • prosię-prosiątko

A jak jest w mieście

W mieście dzieci nie mogą hodować tyle zwierzątek co na wsi. Ala dawniej miała kotka. Ale kotek póki był mały, bawił się i był wesoły.

Gdy się postarzał, to się nudził. Tylko by spał i spał. Więc Ala, choć żal jej było, podarowała go na wieś Agatce. Tam jest mu lepiej.

Ale wszyscy oglądać możemy różne zwierzęta w kinie i w telewizji. Tylko to nie są zwierzęta żywe. Żywe możemy oglądać w zoo.

I w zoo znać teraz wiosnę. Są lwy i małe lwiątka. Są małpy i małpiątka. Są słonie i słoniątka. Pierwsze słoniątko w warszawskim zoo dzieci nazwały Warszulką. – A jak wy nazwalibyście?

zwierzę-zwierzątko • lew-lwiątko • słoń-słoniątko

Oglądamy telewizję

– Dzieci – mówi pani – pewnie lubicie oglądać telewizję. Kto nam opowie, co mu się w telewizji podoba?

– Ja – mówi Ala – bardzo lubię śmieszne rysunki, takie filmy rysunkowe. Ciągle coś się zmienia. Trzeba uważać, żeby zrozumieć, co się tam dzieje.

– Ja najbardziej lubię teatr kukiełek. Ruszają się jak żywe. I lubię bajki – mówi Helka.

– Ja – mówi Tomek – widziałem w telewizorze takie zwierzęta, które jakby w workach noszą swoje dzieci. Nazywają się kangury.

– A ja – mówi Janek – widziałem w telewizji, jak rośnie fasolka. Z ziarenka kiełek, potem dwa listki, a potem cała łodyga. Tak prędko żadna roślina nie rośnie. Nie rozumiem, jak się to robi w tej telewizji.

---

wizja-telewizja • noc-dobranoc • film-filmy

Balonik Zosi

Zosia dostała od mamy śliczny czerwony balonik. Aż skakać zaczęła z radości. Lalki poszły w kąt. Zosia nie rozstaje się z balonikiem. Nawet na noc zawiesiła balonik nad swoim łóżeczkiem.

Nazajutrz bawiła się Zosia balonikiem na dworze. Przykrywała balonik kapeluszem i odbiegała o parę kroków. Balonik jak żywy wylatywał spod kapelusza, a Zosia podbiegała i chwytała za sznurek. Ale raz, zanim podbiegła, balonik uciekł.

Zosia długo płakała. W nocy śniło się Zosi, że balonik wleciał przez okno i zawisł nad jej łóżeczkiem. Budzi się. Patrzy. Oczom nie wierzy: balonik wisi. Skąd się wziął – wie tylko Ala.

A może się domyślacie – skąd?

---

balon-balonik • łóżko-łóżeczko • jutro-nazajutrz

Dwa Michały

Tańcowały dwa Michały,
Jeden duży, drugi mały.
Jak ten duży zaczął krążyć,
To ten mały nie mógł zdążyć.
    Jak ten mały nie mógł zdążyć,
    To ten duży przestał krążyć.
    A jak duży przestał krążyć,
    To ten mały mógł już zdążyć.
A jak mały mógł już zdążyć,
Duży znowu zaczął krążyć.
A jak duży zaczął krążyć,
Mały znowu nie mógł zdążyć.
    Mały Michał ledwo dychał,
    Duży Michał go popychał,
    Aż na ziemię popadały
    Tańcujące dwa Michały.

Julian Tuwim

---

tańczy-tańcowały • dążyć-zdążyć • pada-popadały

Murarze

Prawdziwi murarze murują prawdziwe domy. A my budujemy domek dla szpaczka. Stukamy. Pukamy. Nad nami siedzi wrona. Chciałaby mieć taki domek i ona. Aż kracze ze złości, tak szpaczkowi zazdrości.

Kominiarz

To kominiarz. Od sadzy czarny cały. Ale jak się umyje, będzie biały. On ma małą córeczkę. Pocałował ją w nosek. Zostawił plameczkę. Ona go rączkami objęła za szyję. I rączki są czarne. Ale to się zmyje.

mur-murarze • komin-kominiarze • szpak-szpaczek

U szewca

Wpada Janek do szewca.
– Dzień dobry panu, przynoszę moje buty do naprawy.
– Oj, buty stare. Bardzo zdarte. Już niewiele warte.

Janek się przestraszył. Ale pan szewc tylko straszył. Naprawi buty i będą jak nowe.

Nasze pogotowie

Mamy w szkole własne pogotowie krawieckie. Niech się komu guzik urwie – zaraz dyżurny guzik przyszyje. Niech się gumka zerwie czy kieszeń od fartuszka nadpruje – zaraz dyżurna naprawi. I już po kłopocie.

Mamy też własną apteczkę szkolną. Niech się ktoś skaleczy, zaraz mu pani rankę obmyje i zabandażuje. Jak kto oko zaprószy, to mu je pani przemyje i po bólu.

---

straszył-przestraszył • szyje-przyszyje • bandaż-zabandażuje

Aptekarz

Pan aptekarz to jak kucharz,
co dla wszystkich strawę warzy.
Zobaczymy, jak w swej kuchni
pan aptekarz gospodarzy.

Najpierw pilnie przepis czyta,
ile czego wziąć należy:
co za dużo, to niezdrowo,
więc ostrożnie wszystko mierzy.

Potem miesza i rozciera
różne ziółka, płyny, proszki,
aż w butelce lub pudełku
da nam prezent – zwykle gorzki.

Ale za to po lekarstwie
wróci zdrowie, wrócą siły
i potrawy z lepszej kuchni
już nie będą nam szkodziły.

Wszyscy dla wszystkich

Murarz domy buduje,
Krawiec szyje ubrania,
Ale gdzieżby co uszył,
Gdyby nie miał mieszkania?

A i murarz by przecie
Na robotę nie ruszył,
Gdyby krawiec mu spodni
I fartucha nie uszył.

Piekarz musi mieć buty,
Więc do szewca iść trzeba,
No, a gdyby nie piekarz,
Toby szewc nie miał chleba.

Tak dla wspólnej korzyści
I dla dobra wspólnego
Wszyscy muszą pracować,
Mój maleńki kolego.

Julian Tuwim

---

apteka-aptekarz • zdrowo-niezdrowo • mały-maleńki

Na poczcie

Pełno tu ludzi. Wszyscy się tu śpieszą. Ten z pilną depeszą. Ten pieniądze wysyła. Ten nadaje paczki. Ten kupuje na listy znaczki. I Janek jest tu na poczcie. On się już nie śpieszy. On już znaczek kupił. Tylko list zaadresuje i do skrzynki wrzuci.

Przed pocztą

Wiszą tu dwie skrzynki na listy: czerwona i zielona. Mały chłopczyk stanął przed skrzynką czerwoną. Stara się wrzucić list. Ale skrzynka wisi wysoko. Wyciąga rączki do góry. Wspina się na paluszkach. Wrzuci list czy nie wrzuci? Udało się. Wrzucił.

---

chłopak-chłopczyk • ręce-rączki • adres-zaadresuje

W fabryce

To jest hala fabryczna. Jak tu widno. Jakie ogromne okna i szklany dach! Przy maszynach pracują robotnicy. Coś wożą na wózkach. Jakieś koła się kręcą. Trudno zrozumieć, co się tu dzieje.

To nie tak jak u szewca czy krawca, gdzie widać, co się robi. Ale tutaj jest ciekawiej. Wiele mamy u nas fabryk i coraz więcej fabryk budujemy. Niejedno z nas będzie pracowało w fabryce.

---

fabryka-fabryczka   •   szkło-szklany   •   rozum-zrozumieć

Co robią w fabrykach

W różnych fabrykach robią różne przedmioty. Robią wielkie samoloty. Parowozy i wagony. Łopaty i brony. I auta, i szyny. Rozmaite maszyny. Robią pługi do orania i łóżka do spania. Kosy do koszenia i wozy do wożenia. Noże i łyżki, i garnki, i miski. Szklanki i dzbanki, dywany, firanki. I zapałki, i świece. Kuchenki i piece. Igły do szycia i mydełka do mycia.

Robią w fabrykach i dla dzieci rozmaite rzeczy. Robią ubrania i buciki. Sznurowadełka i grzebyki. I koszulki, i fartuszki, i skarpetki na nóżki. I do ząbków szczoteczki, i do nosków chusteczki. Robią zeszyty i książki, i ołówki, i wstążki. Stołeczki i ławki, i prześliczne zabawki. Chętnie wszystko to robią i pracy nie żałują. A dzieci tak prędko to niszczą i psują.

---

wozy-wożenie • kosy-koszenie • sznur-sznurowadło

Straż pożarna

Straż pożarna zawsze jest w pogotowiu. Na alarm wyrusza w jednej chwili wóz za wozem. W wozach strażacy w hełmach. Tu drabiny. Tam sikawki. Pędzą szybko.

Syreny ryczą. Wszyscy z drogi ustępują.

I wnet strażacy są przy pożarze. Już stoją przy pompach. Już wchodzą po drabinach. Już są w oknach. Już na dachu. Ratują ludzi. Gaszą pożar. Co za zuchy! Nie znają strachu.

Dzieci bardzo lubią bawić się w straż pożarną. Ale gorzej, że lubią także bawić się zapałkami. A zapałki pożarów nie gaszą, tylko łatwo pożar wzniecają. Więc pamiętajmy:

Ostrożnie z zapałkami!

---

pożar-pożarna • rusza-wyrusza • straż-strażak • pamiętać-pamiętaj

Kto w nocy pracuje

– Mój tato – mówi Janek – często w nocy pracuje. Jest kolejarzem, a pociągi muszą być w ruchu i w nocy.

– I moja mama – mówi Cela – bo jest lekarzem. Ma nocne dyżury w szpitalu. A czasem całą noc jeździ karetką pogotowia do chorych.

– Mój tato – mówi Tomek – jest marynarzem. Pływa teraz na dalekich morzach i też musi czuwać w nocy.

– A mój tato pracuje w fabryce – mówi Olek. – Ale i do fabryki chodzi często na nocną zmianę.

Dużo ludzi w nocy musi pracować na poczcie – i w telefonach, i w telegrafie.

Pracują w różnych pogotowiach: w elektrycznym, gazowym, pożarnym, wodociągowym, bo wszędzie – w dzień i w nocy zdarzyć się może wypadek.

– A co wy, dzieci, wtedy robicie?

Śpicie sobie spokojnie w waszych łóżeczkach z waszą laleczką albo z misiem.

---

kolej-kolejarz • telefon-telegraf-telegram • wodociąg-wodociągi

Kim chcemy być

Tomek chce być budowniczym i budować domy nie z klocków, ale prawdziwe.

Cela chce być lekarzem i leczyć dzieci, a nie lalki i Misia – jak teraz.

Piotruś chce być rolnikiem. Siałby tyle żyta i pszenicy, żeby dość było dla wszystkich na chleb i bułeczki, i dla dzieci na ciasteczka.

Ala chciałaby pisać dla dzieci książeczki wesołe, bo smutnych dzieci nie lubią.

Wacek chce być lotnikiem, jak jego tato. Już raz latał i wcale się nie bał.

Wicek chciałby być marynarzem i też jeździć po całym świecie i poznawać różne kraje. Chciałby bardzo zobaczyć kiedyś w morzu wieloryba.

Janek jeszcze nie wie, kim chciałby być. Ciągle myśli o Księżycu. Chciałby wyhodować takie rośliny, które by rosły na Księżycu. Żeby na Księżycu nie było jak na pustyni. Więc chyba zostanie ogrodnikiem.

A kim wy chcielibyście być?

---

budowa-budowniczy • bułka-bułeczka • ogród-ogrodnik

Nowina Kazia

– Dziś jestem ostatni raz z wami – mówi Kazio do dzieci. – Przeprowadzamy się daleko, do Krakowa, do Nowej Huty.

Kazio był taki z tego dumny, jakby się co najmniej wybierał w podróż naokoło świata.

Ale kiedy po lekcjach zaczął się żegnać, smutno mu się zrobiło. Oni tu razem zostaną, a tylko jego tu nie będzie. Utraci tylu przyjaciół.

Nagle do Kazia podbiegł Janek. – Masz to na pamiątkę – powiedział. Było to ulubione lusterko Janka, którym tak lubili z Kaziem puszczać zajączki na ścianie.

---

prowadzi-przeprowadzi • mniej-najmniej • biegł-podbiegł

W górach

Janek wrócił z daleka, z gór. Mówi, że tam wszystko jest inaczej. Góry takie wysokie, że aż do samych chmur sięgają. U nas jest już wiosna, a tam śniegi jeszcze leżą i w górach wysoko, i w dolinach pod górami.

A górale nawet trochę inaczej mówią po polsku niż my. Inaczej budują swoje domy, mają inne dawne stroje, inaczej śpiewają i inaczej tańczą.

Górale kochają swoje góry. Słyszałem, jak śpiewali:

Góry moje, góry,
wy moje pagóry.
Bukowe listeczki
moje poduszeczki.

góry-góralczyk • listki-listeczki • poduszki-poduszeczki

Raz na wysoką górę pojechałem kolejką. I kolejka tam inna. Jeden tylko wagon na stalowej linie posuwa się powoli nad ziemią aż na samą górę. Bałem się trochę tak jechać. Ale wracałem potem na dół już bez żadnego strachu.

Małe góralki i góralczyki całą zimę jeżdżą do szkoły na nartach. A niech i teraz śnieg spadnie – zaraz wezmą narty.

jechał-jechałem • wracał-wracałem • narty-na nartach

Piotruś i Bimbuś

Piotruś miał ciocię Ludwisię. A ciocia Ludwisia miała kotka Bimbusia. Piotruś często przychodził do cioci, bo ciocię bardzo lubił. Lubił też bawić się z Bimbusiem.

Było umówione, że Piotruś zawsze dwa razy pukał do drzwi. Ciocia wiedziała, że to Piotruś i zaraz mu drzwi otwierała. Bimbuś też wybiegał na spotkanie, bo bardzo lubił Piotrusia. I zaraz zaczynała się zabawa.

Ale raz Piotruś rozgniewał się na Bimbusia i mocno go uderzył. – Co ty robisz Piotrusiu! – krzyknęła ciocia. – Bić nie wolno. Piotruś się bardzo zawstydził.

Kiedy nazajutrz Piotruś znów przyszedł, Bimbuś już nie wybiegł na jego spotkanie. I nie chciał się z nim bawić. Odtąd tak było zawsze.

Piotr-Piotruś • wie-wiedziała • gniewał-rozgniewał

Jednego razu ktoś zapukał do drzwi trzy razy. – To ty, Piotrusiu? – zdziwiła się ciocia. – Zawsze pukasz dwa razy.

– Ciociu, ja umyślnie zapukałem trzy razy, żeby Bimbuś nie domyślił się, że to ja. I żeby się nie schował przede mną. Ja chciałem Bimbusia przeprosić.

Kotek

Miauczy kotek: miau!
– Coś ty, kotku, miał?
– Miałem ja miseczkę mleczka,
Teraz pusta jest miseczka,
A jeszcze bym chciał.
    Wzdycha kotek: o!
    – Co ci, kotku, co?
    – Śniła mi się wielka rzeka,
    Wielka rzeka pełna mleka
    Aż po samo dno.
Pisnął kotek: pii...
– Pij, koteczku, pij!
Skulił ogon, zmrużył ślipie,
Śpi – i we śnie mleczko chlipie,
Bo znów mu się śni.

Julian Tuwim

---

prosi-przeprosi • puka-pukał-zapukał • miska-miseczka

Paweł i Gaweł

Paweł i Gaweł w jednym stali domu,
Paweł na górze, a Gaweł na dole.
Paweł spokojny, nie wadził nikomu,
Gaweł najdziksze wymyślał swawole.
Ciągle polował po swoim pokoju:
To pies, to zając – między stoły, stołki
gonił, uciekał, wywracał koziołki.
Strzelał i trąbił, i krzyczał do znoju.
Znosił to Paweł, nareszcie nie może.
Schodzi do Gawła i prosi w pokorze:

dzikie-dziksze-najdziksze • myśli-myślał-wymyślał

– Zmiłuj się, waćpan, poluj ciszej nieco,
bo mi na górze szyby z okien lecą.
A na to Gaweł: – Wolnoć, Tomku,
       w swoim domku.
Cóż było mówić? Paweł ani pisnął.
Wrócił do siebie i czapkę nacisnął.
Nazajutrz Gaweł jeszcze smacznie chrapie,
a tu z powały coś mu na nos kapie.
Zerwał się z łóżka i pędzi na górę.
Stuk-puk! Zamknięto.
              Spogląda przez dziurę
i widzi. Cóż tam? Cały pokój w wodzie,
a Paweł z wędką siedzi na komodzie.
– Co waćpan robisz? – Ryby sobie łowię.
– Ależ, mospanie, mnie kapie po głowie!
A Paweł na to: – Wolnoć, Tomku,
       w swoim domku.

Aleksander Fredro

cisnął-nacisnął   •   rwał-zerwał   •   zamknie-zamknięto

Babcia opowiada

– Wy, dzieci, pewno myślicie, że zawsze tak było jak teraz. A tymczasem było inaczej.

– Moja babcia opowiadała mi, co się to działo, kiedy otwarto u nas pierwszą kolej. Ludzie bali się nawet patrzeć na to, że nie koń pojazd ciągnie, ale jakaś okropna maszyna. Puszcza ona kłęby dymu, sypie iskry, pędzi jak szalona i hałasuje. Bali się jechać koleją. Dla zachęty wożono nawet z początku koleją za darmo.

A co się działo, kiedy w Warszawie ruszyły pierwsze tramwaje. Jechały też na szynach, ale zaprzęgano do nich konie. Była to wielka uroczystość, kiedy pierwszy tramwaj, ustrojony w kwiaty, miał ruszyć. Zebrały się tłumy. Wszyscy się cieszyli i dziwili. Jeździli tramwajem z początku nawet bez potrzeby, dla samej przyjemności.

– Babciu, a samochody?

– Gdzież tam, ani samochodów, ani autobusów, ani samolotów jeszcze wtedy nie było.

---

pędzi-rozpędzi • powiada-opowiada • cieszy-ucieszyli

Pamiętam ten dzień, kiedy zobaczyłam pierwszy raz samochód. Trudno było uwierzyć, że taki wóz jechać może bez konia. A i konie przez długi czas bały się samochodów. Przy wymijaniu rżały, wyrywały się, trudno je było utrzymać.

Jeszcze większą niespodzianką w moim życiu był samolot. Wydawało się wtedy nawet uczonym, że człowiek jest za ciężki na to, żeby mógł latać w powietrzu jak ptak. A dziś nie tylko latamy ciężkimi samolotami nad ziemią, ale docieramy rakietami do Księżyca. – Więc jak, babciu, dawniej jeździliście?

– Po prostu konie nas woziły, zaprzęgane do wozów, do bryczek czy do bardziej wygodnych powozów i karet. W miastach stały na postojach dorożki konne, tak jak teraz taksówki. A w dalekie podróże jeździło się wynajętymi końmi. Po drodze były zajazdy, gdzie się konie zmieniało, a pasażerowie mogli wypocząć czy przenocować.

---

sam-samochód • auto-autobus • noc-przenocować

Nasi koledzy

To są nasi bliżsi i dalsi koledzy z różnych krajów.

My się jeszcze z nimi nie znamy. I mało o sobie wiemy.

Ale jak się ze sobą poznamy, na pewno się pokochamy.

Będziemy zgodnie się uczyć. Zgodnie będziemy pracować.

Weźmiemy się wszyscy za ręce. Zrobimy wielkie koło.

I bawić się będziemy zgodnie i wesoło.

---

znamy-poznamy • będzie-będziemy • kocha-kochamy

Bambo

Murzynek Bambo w Afryce mieszka,
Czarną ma skórę ten nasz koleżka.
Uczy się pilnie przez całe ranki
Ze swej murzyńskiej *Pierwszej czytanki*.
A gdy do domu ze szkoły wraca,
Psoci, figluje – to jego praca.
Aż mama krzyczy: „Bambo, łobuzie!"
A Bambo czarną nadyma buzię.
Mama powiada: „Napij się mleka",
A on na drzewo mamie ucieka.
Mama powiada: „Chodź do kąpieli",
A on się boi, że się wybieli.
Lecz mama kocha swojego synka,
Bo dobry chłopak z tego Murzynka.
Szkoda, że Bambo czarny, wesoły,
Nie chodzi razem z nami do szkoły.

Julian Tuwim

Murzyn-Murzynek • kolega-koleżka • czyta-czytanka

Pierwszy Maja

Pierwszy Maja – to święto ludzi pracy. Tego dnia ustaje praca wszędzie: w fabrykach i sklepach, w biurach i urzędach, i nawet w polu.

U nas w szkole też nie ma w tym dniu lekcji. I my – dzieci – ten dzień uroczyście świętujemy. Bo i my, jak dorośniemy, będziemy ludźmi pracy. A i teraz nie próżnujemy, bo się przecież uczymy.

Chcemy dobrze się uczyć, dużo umieć i dużo rozumieć. Chcemy jedni drugim pomagać i żyć w zgodzie z kolegami naszej szkoły i szkół całego świata.

święto-świętuje-świętujemy • rok-roczny-drugoroczny

Dzieci w polu

Idą dzieci ścieżką. Z prawej strony owies,
Z lewej strony łubin żółty i pachnący,
A na łące, w dali, stado białych owiec
I chłopczyk i piesek, stada pilnujący.
A nad wszystkim słońce złotym blaskiem świeci,
Promieniami ciepła cały świat przenika:
I tę ścieżkę polną i idące dzieci,
Owies, łubin, owce, pieska i chłopczyka.

Julian Tuwim

chłopiec-chłopczyk • pies-piesek • pilnuje-pilnujący

Co dzieci widziały w lesie

Na jednej sośnie wypatrzyły dzieci wiewiórkę. Wiewiórka poruszyła się. – Spadnie! – krzyknął Staś. Ale wiewiórka przeskoczyła zgrabnie na drugie drzewo i się ukryła.

Nad strumykiem zobaczyły dzieci węża. Zsunął się do wody i popłynął. Dziwiły się dzieci, że wąż umie pływać.

W innym miejscu zobaczyły dzieci mrowisko. Ala położyła chusteczkę na mrowisku. Kiedy ją zdjęła, chusteczka tak pachniała, że dzieci aż kichały.

Wysoko na drzewie wypatrzyły dzieci dzięcioła. Walił dziobem w drzewo jak młotem. Tylko kukułki wypatrzeć nie mogły, choć wesoło kukała.

patrzy-patrzyły-wypatrzyły • rusza-porusza-poruszyła

Rozmowa ptaków

Kukułeczka kuka,
Dzięcioł w drzewo stuka,
Jaskółeczka śmigła
Ćwierka coś do szczygła.
    Szara pliszka kwili:
    Ciszej, moi mili,
    Boście mi pisklęta
    W gniazdku obudzili.
Więc przerwały ptaszki
Leśne swe igraszki.
Pliszka dziatki tuli:
Luli, małe, luli...

Julian Tuwim

Komar

Jak tam w lesie coś huknęło,
jak pod dębem coś stuknęło.
Komar upadł na korzenie,
potłukł głowę i golenie.

Mucha z chaty przyleciała,
nad komarem zapłakała.
Różnych maści nakupiła,
chore nóżki namaściła.

Z dębu kleszcze pospadały,
chorą główkę pościskały.

Pszczółki z pola przyleciały,
plaster miodu przykładały.

Wszyscy go tak odwiedzają
i żal nad nim wyrażają.

---

leci-leciała-przyleciała   •   kupi-kupiła-nakupiła

Warszawa

Jaka wielka jest Warszawa!
Ile domów, ile ludzi!
Ile dumy i radości
W sercach nam stolica budzi!

Ile ulic, szkół, ogrodów,
Placów, sklepów, ruchu, gwaru,
Kin, teatrów, samochodów
I spacerów i obszaru!

Aż się stara Wisła cieszy,
Że stolica tak urosła,
Bo pamięta ją maleńką,
A dziś taka jest dorosła.

Julian Tuwim

---

spacer-spacerów • mała-maleńka • rosła-dorosła

Zegar na wieży

Właśnie dlatego, że stary,
szacunek mu się należy.
Chociaż są starsze zegary,
lecz ten był z królewskiej wieży.

Od trzystu lat już obwieszczał
czas zgonu i czas narodzin
prostego ludu i mieszczan,
i panów z wielmożnych rodzin.

Troskliwą dłoń go podniosła,
gdy padł pociskiem rozbity.
Sztuką polskiego rzemiosła
zwrócony Rzeczypospolitej.

Nie w pieśni ani w legendzie,
nie we śnie, ale na jawie.
Słyszycie? Naprawdę bije
zegar na Zamku w Warszawie.

Antoni Słonimski

Rzeczpospolita Polska